はちこう

いしだ たけお え　くめ げんいち ぶん

「はちこう, あしたから　きみの　おまつりが　はじまるんだよ。きれいに　してやるからね。」

　まちの　こどもたちが, はちこうの　どうぞうを　あらって　います。

　まいとし, 四がつ八かから　一しゅうかん, とうきょうの　しぶやえきの　まえで, "はちこうまつり" が　ひらかれます。

はちこうは　うまれて　まもなく，あき
たけんから，とうきょうの　上野英三郎博
士の　いえに　もらわれて　きました。
　けいとの　まりのような，かわいい　こ
いぬでした。
「さあ　はち，みるくを　おあがり。たく
さん　のんで，はやく　おおきく　なるん
だよ。」
　うえのさんも，おくさんも，はちこうを
じぶんの　こどものように，だいじに　そ
だてました。

　はちこうは，よるに　なると，
さびしがって　くんくん　なきま
した。
「かわいそうに。」
　うえのさんは，そっと　はちこ
うを，じぶんの　べっどに　いれ
て　やりました。
　すると　はちこうは，ねている
あいだに　おしっこを　してしま
いました。

　うえのさんは，ぬれた　しーつ
を，じぶんで　あらいました。
「こまるなあ，はち。あしたから
は　ひとりで　ねるんだよ。」

うえのさんは，だいがくの　せんせいです。
がくせいたちが　あそびに　きて，はちこう
の　うちを　つくって　くれました。
「さあ，はち。こんやから　ここで　ねるん
だよ。」

でも，はちこうは　あそびに　むちゅうで
す。一にちじゅう　ひろい　にわの　なかを
かけまわって　いました。

一ねん　たつと，はちこうは　すっかり　おおきく　なりました。たれていた　みみも，ぴんと　たちました。かたの　たかさが　63せんち，たいじゅうが　41きろも　ありました。

「さあ，はち，さんぽに　いこう。」

　はちこうは，うえのさんと　ならんで，のっし　のっしとあるきました。

「わあ，でっかい　いぬだなあ。」

「あれはね，あきたけん　という　いぬですよ。」

まちの　ひとたちが，たちどまって　みています。

　はちこうは　わけもなく　ほえたことが　ありません。
よその　いぬが　ほえかかっても，ふりむきも　しません
でした。いぬどうしが　けんかしているのを　みると，
　"こら、けんかは　やめろ"
　と　いうように，だまって　二ひきの　あいだに　わり
こみます。

　すると, どんなに　つよい　いぬでも, はちこうの　め
を　みただけで, しっぽを　まいて, すごすごと　にげだ
して　しまいました。

うえのさんは　まいあさ，しぶやえきから　でんしゃに
のって，つとめに　でかけます。
　はちこうは　いつも，えきまで　おくって　いきました。
「ありがとう，はち。もう　おかえり。」
　うえのさんが　あたまを　なでて　やると，はちこうは
おとなしく　うちへ　かえって　いくのでした。

ゆうがたに　なると，はちこうは　えきへ　いって，う
えのさんの　かえりを　まちました。
「あっ、ごしゅじんだ。」
　はちこうは，さっと，うえのさんに　とびついて，つめ
たい　はなさきを　こすりつけました。
「はち，まいばん　ごくろうだね。」

　はちこうの　おくりむかえは，はんとしあまり　つづき
ました。
　あるひの　ゆうがたの　ことです。はちこうは　いつも
のように　えきへ　むかえに　いきました。ところが，い
つまで　まっても，うえのさんが　かえって　きません。
　あかりが　ひとつひとつ　きえて　いきます。とうとう
１２じすぎに　なりました。それでも　うえのさんは　か
えって　きません。
　うえのさんは，このひ　つとめさきで　きゅうに　びょ

うきに　なって　たおれ，そのまま　しんで　しまったの
でした。
　はちこうは，そんなことは　しりません。だれも　いな
くなった　えきまえで，しゅじんの　かえりを，いまか
いまかと　まちつづけました。
　そのころ，うえのさんの　うちでは，みんなが　おそう
しきの　したくで，いそがしそうに　はたらいて　いまし
た。そのため，だれも　はちこうの　いないのに　きが
つきませんでした。

よあけごろに　なって，おくさんは，
ふと　はちこうの　いないのに　きが
つきました。
　（あっ，そうだわ。きっと　えきで…）
　いそいで　えきへ　かけつけると，
はちこうは　うすぐらい　かいさつぐ
ちで，しょんぼりと　かいだんを　み
あげていました。
「まあ，はち。まだ　まって　いたの。
でも　いくら　まっても，おまえの
ごしゅじんは　もう　かえって　こな
いのよ。さあ，かえりましょう。」
　おくさんの　こえは　ふるえて　い
ました。
　しかし　はちこうは　なかなか　か
えろうと　しませんでした。
「そのうち　きっと　かえって　くる。」

はちこうは，それからも　まいばん　えきへ　むかえに
いきました。

　おくさんは　なんとかして　はちこうに，しゅじんの
ことを　わすれさせようと　おもいました。そこで　はち
こうを，とおい　あさくさの　しんせきの　いえに　あず
けました。
　ところが　はちこうは，そのひのうちに，ひもを　くい
ちぎって，10きろも　はなれた　しぶやの　うちまで　に
げかえって　しまいました。からだじゅう　どろだらけに
なって……。

　また　はちこうの　“おむかえ”
が　はじまりました。ゆうがたに
なると,
「きょうこそは　かえって　くる。」
　と　しぶやえきへ　でかけて
いきました。
　あめの　ひも,ゆきの　ひも,
一にちも　やすまず　でかけて
いきました。
「ごらんよ。また　はちこうが
おむかえに　いくよ。かわいそう
になあ。」

一ねん…　三ねん…　五ねん……　とうとう　九ねん
たちました。はちこうは　すっかり　としを　とって，よ
ぼよぼに　なりました。
「はち，つらいだろうな。」
　えきちょうの　吉川さんが，こにもつしつに，ねどこを
つくって　やりました。

しかし　はちこうは，ゆうがたに　なると，よろよろと
たちあがって，かいさつぐちまで　でて　いきました。
「きょうこそは　きっと　かえってくる。」
　と，おもいながら……。

　とうとう はちこうは，びょうきになって しまいました。
それでも しぶやえきを はなれずに，しゅじんの か
えりを まちつづけました。おいしゃさんが たびたび
しんさつに きてくれました。

　じょがくせいたちは，はが ぬけた はちこうの ため
に，やわらかい たべものを たべさせて やりました。

　えきいんさんが みずを まきはじめると，きんじょの
しょうねんたちが，みんなで はちこうを かかえて，み
ずの かからない ところへ はこんで やりました。

はちこうの　うわさを
きいて　ほうぼうから　お
みまいの　てがみや，おか
ねが　おくられて　きまし
た。

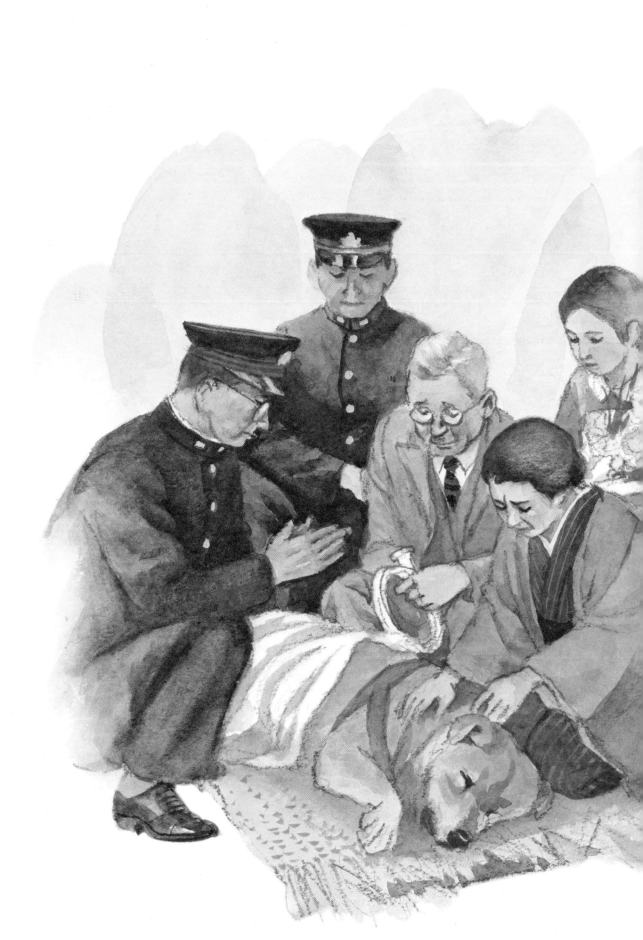

あるあさ，えきちょうの　よしかわさんが，こにもつし
つへ　いってみると，はちこうが　つめたくなって　しん
で　いました。
　しらせを　きいて，うえのさんの　おくさんを　はじめ，
おおぜいの　ひとたちが　かけつけて　きました。
「かわいそうに……。九ねんあまりも　まちつづけて……。」
　おくさんは　そういったきり，あとの　ことばを　つづ
けることが　できませんでした。
　はちこうの　かおは，ねむっているように　おだやかで
した。

　はちこうの　はなしが，にっぽんじゅうに　ひろまり，
きょうかしょにも　のせられました。そして　しぶやえき
の　まえに，どうぞうが　たてられました。
　とおい　がいこくから，わざわざ　はちこうの　どうぞ
うを　みにくる　ひとも　ありました。

　たくましい　まえあしを　ぐっと　ふんばった　はちこ
うは，どこを　みているのでしょう。
　うまれこきょうの，とおい　あきたでしょうか。それと
も　まだ，かえらない　しゅじんを　まちつづけて　いる
のでしょうか。

はちこう   初版発行／1971年9月   第28刷発行／2002年7月

石田武雄・絵　　久米元一・文

発行所／株式会社 金の星社　　〒111-0056 東京都台東区小島1-4-3　電話03-3861-1861　FAX.03-3861-1507

　　　　　　　　　　　　　　　　　　　　ホームページ http://www.kinnohoshi.co.jp　振替00100-0-64678

製版／(有)サンプロセス社　　印刷／(株)東京美術印刷社　　製本／東京美術紙工

　　　　　　　　　　　　　　ISBN4-323-00213-0　　NDC913　　32ページ　　26.5cm

© Takeo Ishida & Genichi Kume, 1971　Published by KIN-NO-HOSHI SHA, Tokyo, Japan.